La escalera de los monjes

GUIGO II EL CARTUJO

La escalera de los monjes

Introducción y traducción de
Sor Pascale-Dominique Nau, OP

2021

Texto original latino
Scala Claustralium
en *Patrologia Latina* vol. 184, cols. 475-484
París, J.-P- Migne, 1879.

ISBN: 9798728101680

Contenido

Introducción

Guigo II el Cartujo (* 1114 - † c. 1193) fue el noveno prior del monasterio de la Gran Cartuja. Su *Escalera de los monjes* es uno de los grandes clásicos espirituales que ha inspirado el método de la lectio divina – la lectura espiritual de la Biblia – desde principios de la Edad Media. En *Verbum Domini* n. 86, el Papa Benedicto XVI, citando la carta de Orígenes a Gregorio, indica una de las principales fuentes de Guigo:

> *El gran teólogo alejandrino recomienda: «Dedícate a la lectio de las divinas Escrituras; aplícate a esto con perseverancia. Esfuérzate en la lectio con la intención de creer y de agradar a Dios. Si durante la lectio te encuentras ante una puerta cerrada, llama y te abrirá el guardián, del que Jesús ha dicho: "El guardián se la abrirá". Aplicándote así a la lectio divina, busca con lealtad y confianza inquebrantable en Dios el sentido de*

las divinas Escrituras, que se encierra en ellas con abundancia. Pero no has de contentarte con llamar y buscar. Para comprender las cosas de Dios te es absolutamente necesaria la oratio. Precisamente para exhortarnos a ella, el Salvador no solamente nos ha dicho: "Buscad y hallaréis", "llamad y se os abrirá", sino que ha añadido: "Pedid y recibiréis"».

En el texto de Guigo, probablemente escrito hacia 1150, encontramos la primera sistematización de la estructura de la lectio divina: lectura-meditación-oración-contemplación que se ha convertido en la forma clásica de lectura espiritual de la Sagrada Escritura, repetida constantemente a lo largo de los siglos hasta nuestros días. Encontramos su influencia, por ejemplo, en la reflexión de San Juan de la Cruz sobre la lectio divina[1], y proporciona la clave para

[1] Véase Sr Pascale-Dominique Nau, When God Speaks. Lectio Divina in Saint John of the Cross, Rome, 2019.

entender *La contemplación de Dios* de Guillermo de Saint-Thierry, escrito entre 1121 et 1124.

Guigo utiliza principalmente imágenes ya presentes en la Biblia y en la literatura patrística. Dos imágenes son particularmente importantes. Primero, todo su desarrollo se apoya en el pasaje del Evangelio que acabamos de leer en Orígenes, Mt 7,7.

"Buscad y halaréis; llamad, y se os abrirá".
Buscad ***leyendo,***
y hallaréis ***meditando.***
Llamad ***orando***
y entraréis ***contemplando.***

En segundo lugar, la imagen de la «uva mística» que el Evangelio ofrece al alma para nutrirla. El alma, comenzando a leer,

> *se dice a sí misma: ¡Esta palabra me hará bien! Concéntrate, corazón mío, trata de comprender y, sobre todo, de encontrar esta pureza. ¡Oh, qué precioso y deseable debe ser, ya*

> *que purifica a aquellos en quienes habita y contiene la promesa de la visión divina, de la vida eterna, ya que las Sagradas Escrituras lo alaban sin cesar!*

El trabajo consiste entonces precisamente en «prensar» esta uva, para recibir su jugo nutritivo. El versículo que Guigo usa como ejemplo para su exposición es también de Mateo: «Bienaventurados los de limpio corazón, porque ellos verán a Dios».

Los siguientes capítulos tratan sobre el resultado de una buena lectio divina: la venida del Espíritu Santo y las dificultades generalmente encontradas en la oración; la ausencia del Esposo – este capítulo probablemente esté inspirado en los escritos de San Bernardo sobre el tema; por ejemplo, en el *Comentario al Cantar de los Cantares*, los sermones 32,2 y 51, y en otros lugares –; la relación mutua de la lectura, la meditación, la oración y la contemplación; y, por fin, los cuatro obstáculos que conducen a la pérdida de la gracia de la contemplación: *la necesidad ineludible*, la *utilidad de una buena obra*, la *debilidad humana* y la *vanidad mundana* – al comienzo de *La contemplación de Dios* Guillermo de Saint-Thierry ofrece una explicación detallada de este punto.

Antes de su saludo final, Guigo cierra la obra con esta oración:

> *Ruego al Señor que debilite hoy y quite mañana todo lo que obstruye la contemplación del alma. Que Él nos lleve, de virtud en virtud, hasta la cima de la escalera misteriosa, hacia la visión de Dios en Sion. Allí, sus elegidos recibirán esta divina contemplación, no gota a gota o intermitentemente; al contrario, siempre serán inundados por la corriente de la alegría, poseyendo para siempre la dicha que nadie puede quitarles, la paz inmutable, ¡Paz en Él!*

Este es mi deseo y oración para los lectores de la presente traducción.

Sor Pascale-Dominique, OP
En la fiesta de la Anunciación de la Santísima Virgen María, 25 de marzo de 2021

Carta de presentación a su querido hermano Gervius

¡Que el Señor sea nuestro gozo!

Mi amistad contigo se la debo a ti porque me amaste primero, y estoy en la obligación de escribirte ya que me incitaste escribiéndome primero. Entonces, aquí están mis pensamientos sobre los ejercicios espirituales de los monjes. Tú, habiendo aprendido más de tu experiencia que yo de mis estudios, los corregirás y juzgarás. Por eso, te ofrezco las primicias de mi trabajo: estas primicias de una planta joven te las debo a ti, que mediante un loable hurto te liberaste de la esclavitud del faraón y entraste en las filas de los que luchan en deliciosa soledad. Podaste hábilmente la planta silvestre y la injertaste en un olivo fructífero.

Los cuatro grados de los Ejercicios Espirituales

Un día, mientras trabajaba con mis manos, estaba reflexionando sobre los ejercicios espirituales del hombre, y de repente me di cuenta de que hay cuatro grados: la lectura, la meditación, la oración y la contemplación. Esta es la escalera que lleva a los monjes de la tierra al cielo. Aunque tiene solo unos pocos escalones, es muy alto e increíblemente largo. Su base está asentada sobre la tierra y su cumbre se eleva por encima de las nubes para penetrar las alturas del cielo. Los nombres, el orden y el uso de estos escalones son diferentes. Sin embargo, cuando examinamos cuidadosamente sus propiedades, funciones y jerarquía, pronto parecen breves y fáciles, debido a su utilidad y dulzura.

La lectura es el estudio atento de las Sagradas Escrituras por una mente aplicada.

La meditación es la investigación cuidadosa de una verdad oculta con la ayuda de la inteligencia.

La oración es la elevación del corazón hacia Dios, para que se separe del mal y tiende hacia lo que es bueno.

La contemplación es la elevación del alma arrebatada en Dios, donde saborea las alegrías de la eternidad.

Ahora, después de haber definido estos cuatro escalones, consideremos el papel particular de cada uno. La dulzura indescriptible de la vida bendita se busca a través de *la lectura*, se encuentra en *la meditación*, se pide en *la oración* y se saborea en *la contemplación.* Esto es precisamente lo que dice el Señor: «Buscad y hallaréis; llamad, y se os abrirá» (Mateo 7,7). Buscad leyendo y hallaréis meditando. Llamad orando y entraréis contemplando. Me gustaría decir que la lectura trae comida sustancial a la boca; la meditación lo muele y mastica; la oración la prueba, y la contemplación es la dulzura misma que deleita y restaura. La lectura se mantiene pegada a la corteza, la meditación entra en la médula, la oración expresa el deseo, pero la contemplación se complace en saborear la dulzura obtenida.

La lectura

He aquí un ejemplo que puede ayudar a aclarar las cosas. En el Evangelio leo: *Bienaventurados los de limpio corazón, porque ellos verán a Dios* (Mateo 5,8). La frase es corta pero llena de significado e infinitamente dulce. Al alma sedienta, ofrece una uva. El alma lo considera y se dice a sí misma: «¡Esta palabra me hará bien! Concéntrate, corazón mío, trata de comprender y, sobre todo, de encontrar esta pureza. ¡Oh, qué precioso y deseable debe ser, ya que purifica a aquellos en quienes habita y encierra la promesa de la visión divina, de la vida eterna, ya que las Sagradas Escrituras la alaban sin cesar!» De este modo el deseo de comprender invade el alma, que ahora agarra esta uva mística, la corta en rodajas, la tritura, la pone en el lagar y le dice a su mente: «Mira y descubre qué es; dime cómo adquirir esta preciosa y tan deseable pureza de corazón».

La meditación

Entonces, el alma se acerca al texto para meditarlo. Ahora bien, ¿qué hace la meditación atenta? No basta con leer el texto: la meditación debe penetrar y, mirando en cada uno de sus rincones oscuros, llegar a su corazón.

En primer lugar, observa que el Señor no dijo: Bienaventurados aquellos cuyos cuerpos son puros, sino más bien cuyo *corazón es puro*. En verdad, no valdría mucho para un hombre tener las manos libres de malas obras, si su mente está manchada por malos pensamientos. El profeta ya dijo esto: *¿Quién subirá al monte del Señor? ¿Y quién estará en su lugar santo? El hombre de manos limpias y puro corazón* (Salmo 24,3-4).

La meditación también nota el fuerte deseo con el cual el Profeta pidió esta pureza de corazón, ya que dijo en su oración: *Crea en mí un corazón puro, oh, Señor* (*Salmo* 51:12). Porque, *si en mi corazón hubiese yo mirado a la iniquidad, El Señor no me habría escuchado* (*Salmo* 66:18). ¡Oh, cuán cuidadosamente vigilaba Job esta pureza íntima; el que dijo: *Hice pacto con mis ojos; ¿cómo, pues, había yo de mirar a una virgen?* (*Job* 31,1) Este hombre santo se obligó a sí mismo a cerrar los ojos ante cosas inútiles para evitar ver vanidad (*Salmo* 119,37), a pesar de sí mismo, y evitar lo que entonces inconscientemente podría desear.

Habiendo examinado así la pureza del corazón, la meditación se vuelve hacia la recompensa prometida. ¡Oh, qué gloriosa y deliciosa recompensa! ¡Contemplar el rostro tan deseado del Señor, cuya belleza supera a la de los hijos de los hombres! El Señor, ya no cubierto por la apariencia abyecta y vil con que le investía su madre la Sinagoga, se viste de inmortalidad, coronado con la diadema que su Padre le puso el día de su resurrección y gloria, «este día que el Señor ha hecho». Ahora, en la meditación, el alma reflexiona sobre la plenitud de esta visión, sobre su alegría desbordante... *Contemplaré tu gloria hasta que quiera*, dice el Profeta (*Salmo* 17,15).

¡Ah, qué vino generoso, qué abundancia brota de esta uva! ¡Qué gran fuego ha sido encendido con solo una chispa! Mira cómo este breve texto se ha alargado sobre el yunque de la meditación: *Bienaventurados los de limpio corazón, porque ellos verán a Dios*. ¡E imagínate cuánto más lo alargaría un siervo de Dios experimentado! De hecho, el pozo es profundo, pero, siendo un pobre novato, solo pude sacar de él unas pocas gotas.

Ahora, los deseos ardientes encienden el alma. Ha roto la vasija de alabastro y ya el perfume del bálsamo se está esparciendo. Todavía no lo saborea, pero tiene como un presentimiento; conmovida por este perfume aún lejano, sueña: «¡Oh, ¡cómo deseo vivir en esta pureza cuya imagen ya es tan suave!» ¿Qué hará esta pobre alma, ardiendo en el deseo de esta pureza inaccesible? Cuanto más busca, más sed tiene; cuanto más piensa en ella, más sufre por no poseerla, porque la meditación despierta el deseo de la inocencia, pero no la puede satisfacer. No, la lectura y la meditación no dan más que el sabor de la dulzura, que se debe dar desde lo alto.

Los impíos y los buenos leen y meditan del mismo modo; incluso los filósofos paganos, guiados por la razón, han vislumbrado el Bien Supremo. Sin embargo, *aun habiendo conocido a Dios, no lo honraron como Dios* (Rom 1,21) y, orgullosos de su fuerza, dijeron: *Por nuestra lengua prevaleceremos; nuestros labios son nuestros; ¿quién es señor de nosotros?* (*Salmo* 12,5), no eran dignos de encontrar lo que habían vislumbrado. *Se ofuscaron en sus razonamientos y sus mentes insensatas se oscurecieron* (*Rom* 1,21), y *su sabiduría fue destruida* (*Salmo* 106,27) porque provenía de una fuente humana y no del Espíritu, que es el único que da la verdadera sabiduría.

Cuando esta sabrosa ciencia penetra en el alma humilde, derrama en ella la indescriptible suavidad, el gozo y el consuelo de los que dice la Escritura: *La sabiduría no entra en un alma malvada* (*Sabiduría* 1,4). Viene solo de Dios. El Señor ha encomendado a muchos la tarea de bautizar, a unos pocos la de perdonar los pecados, pero solo él se quedó con este poder. Como dice San Juan: *Aquí está el que bautiza*, podemos decir: Aquí está el único que da esta sabrosa sabiduría y que puede dejar que el alma la pruebe. El texto se ofrece a muchas personas, pero solo unas pocas reciben esta sabiduría. El Señor lo infunde en quien quiere y como quiere.

La oración

El alma ha entendido. Nunca podría haber alcanzado este precioso conocimiento, esta dulce experiencia, con sus propias facultades; pero cuanto más se esfuerza, más Dios parece elevarla. Entonces, se humilla y se refugia en la oración: «Señor, a quien sólo los puros de corazón pueden ver, he buscado, a través de la lectura y la meditación, la verdadera pureza para poder conocerte al menos un poco» – *He buscado tu rostro, Señor; he deseado tu adorable rostro* (*Salmo* 27,8). Durante mucho tiempo, he meditado en mi corazón, y en mi meditación, se encendió un fuego, el deseo de conocerte para siempre (cf. *Salmo* 38,4).

Cuando me partiste el Pan de las Escrituras, ya te conocía; pero cuanto más te conozco, Señor, más quiero saber, no sólo en la corteza de la carta sino en la realidad de la unión. Y este es el regalo, Señor, que imploro, no por mis méritos, sino por tu misericordia. Es cierto que soy un pecador indigno, pero *¿no comen los perritos las migajas que caen de la mesa de su amo?* (*Mateo* 15,27). Oh, Dios, concede a mi alma angustiada un adelanto de la herencia prometida, al menos una gota de rocío celestial para calmar mi sed, porque ardo de amor, Señor.

La contemplación

Con palabras tan ardientes, el alma enciende su deseo y llama al Esposo con tierna oración. Entonces, el Esposo, cuya mirada se posa en los justos y cuyos oídos están tan atentos a sus oraciones que no espera hasta que se han plenamente expresado, interrumpe repentinamente esta oración: Viene al alma anhelante, vierte en ella el rocío celestial y la unge con preciosos perfumes; restaura el alma cansada, nutre al débil, empapa al reseco; la hace olvidar la tierra y, apartándola de todo lo demás con su presencia, la fortalece, vivifica y embriaga maravillosamente.

Ciertos actos groseros mantienen tan fuertemente al alma encadenada por la concupiscencia que pierde el sentido común y que toda la persona se vuelve carnal. Al contrario, ahora, en esta sublime contemplación, los instintos corporales son consumidos y absorbidos por el alma de tal manera que la carne ya no lucha contra el espíritu (cf. *Gálatas* 5,17) y la persona, en todos sus aspectos, se vuelve espiritual.

Los signos que revelan la venida del Espíritu Santo

O Señor, ¿cómo puedo discernir la hora de esta visita? ¿Qué señal me permitirá reconocer tu llegada? ¿Son los suspiros y las lágrimas mensajeros y testigos de este gozo consolador? ¡Este es un nuevo símil, con un significado excepcional! En efecto, ¿qué relación hay entre el consuelo y el suspiro, entre la alegría y las lágrimas? ¿Realmente podemos decir que son lágrimas? ¿No es más bien el rocío íntimo derramado sobreabundantemente desde arriba para purificar el corazón del hombre y que rebosa? En el bautismo, la ablución exterior significa y opera la purificación interior del niño; aquí, al contrario, la purificación íntima precede a la ablución exterior y se manifiesta a través de ella. ¡Oh benditas lágrimas, este nuevo bautismo del alma apaga el fuego de los pecados! *Bienaventurados los que lloran, porque reirán* (*Mateo* 5,5).

O alma mía, reconoce, en estas lágrimas, a tu Esposo, unido a ti en tu deseo. Embriagate en el torrente de sus delicias; sea apaciguado por la leche y la miel de su consuelo. Estos suspiros y lágrimas son los maravillosos dones del Esposo, la pócima que te prepara de día y de noche, el pan que fortalece tu corazón, más suave en su amargura que el panal de miel. Señor Jesús, si estas lágrimas que brotan de un corazón que te desea son tan suaves, ¡qué gozo habrá para el alma a quien te muestres en la clara visión de la eternidad! Si es tan suave llorar deseándote, ¡qué gozo habrá en el deleite de tu presencia!

Pero ¿por qué profanar estos secretos íntimos delante de todos? ¿Qué sentido tiene tratar de expresar deleites inefables con palabras banales? Nadie que no los haya experimentado puede entenderlos. Estas misteriosas conversaciones solo se leen en el libro de la experiencia. A menos que uno sea instruido divinamente, la página permanece cerrada; el libro es sin gusto para la persona cuyo corazón no puede iluminar la letra exterior con el sentido de la experiencia íntima.

Cuando el Esposo se va

¡Cállate, alma mía, estás hablando demasiado!

¡Era bueno estar allá arriba, con Pedro y Juan, contemplando la gloria del Esposo, quedarse con él mucho tiempo y – si hubiera querido – levantar no dos o tres tiendas, sino una sola para vivir juntos en su alegría! Sin embargo, el Esposo ya está exclamando: *Déjame irme, ya está amaneciendo*. Habéis recibido la gracia luminosa y la visita tan deseada. Luego, te bendice y, como el ángel le hizo una vez a Jacob, mortifica el nervio de tu muslo (cf. Génesis 32,25.31); él cambia tu nombre de Jacob a Israel y luego parece irse. El Esposo, tanto tiempo deseado, de repente se esconde; la visión de la contemplación se desvanece y su suavidad se evapora. Sin embargo, el Esposo permanece presente en tu corazón, gobernándolo constantemente.

No temas, Esposa mía, ni te desesperes, y no creas que eres despreciada si, de vez en cuando, el Esposo se cubre el rostro con un velo. Todo esto es por tu bien; su partida es tan beneficiosa como su llegada. Viene por ti y se va por ti. Viene a consolarte, y se va para protegerte, por temor a que te enorgullezcas de su dulce presencia. Si el Esposo estuviera siempre presente de manera perceptible, ¿no tendrías la tentación de despreciar a tus compañeros y creer que te mereces esta presencia, que en realidad es un regalo que el Esposo concede a quien quiere y cuando quiere, y al que, finalmente, tú no tienes ningún derecho? El proverbio dice: «La familiaridad engendra desprecio». Para evitar esta familiaridad irrespetuosa, se esconde de tu vista. Cuando está ausente, tu deseo por él crece; tu deseo te hace buscarlo con mayor ardor, y tu espera hace más delicioso vuestro encuentro.

Además, si el consuelo fuera infinito aquí en la tierra – aunque es un enigma y una sombra en comparación con la gloria eterna –, podríamos creer que ya estamos en la ciudad eterna y buscaríamos menos la ciudad del futuro. ¡No! No confundamos el destierro con la patria ni el anticipo con la herencia.

Viene el Esposo, trayendo consuelo y dejando desolado. Nos deja saborear un poco de su inefable dulzura; pero antes de que pueda penetrarnos, se esconde y se va. Ahora, lo hace para enseñarnos a volar hacia el Señor. Como un águila, extiende sus alas sobre nosotros y nos empuja a levantarnos. Y él dice: «Has probado un poco de mi dulzura. ¿Quieres llenarte de eso? Corre, vuela a mis perfumes; levantad en alto vuestro corazón, a donde estoy a la diestra del Padre, donde me veréis, ya no en figura o enigma, sino cara a cara, en la alegría plena y completa que nadie jamás te podrá quitar. La Esposa de Cristo lo comprende bien.

Cuando el Esposo se va, no está lejos de ti. Ya no lo ves, pero él no deja de mirarte. Nunca podrás escapar de su vista. Sus mensajeros, sus ángeles, miran tu vida cuando él se esconde, y rápidamente te acusarán si te ven aturdido e impuro. El Esposo está celoso, y si tu alma admitiera otro amor y tratara de complacer a alguien más, te dejaría de inmediato para unirse a doncellas más fieles. Es delicado, noble, rico, *el más hermoso de todos los hijos de los hombres* (Salmo 44,3), y, por eso, quiere que su esposa sea muy hermosa.

En consecuencia, si ve una arruga o una mancha en ti, mirará hacia otro lado, porque no puede soportar ninguna impureza. Sé casto, por tanto, respetuoso y humilde ante él, y él te visitará con frecuencia.

Llevado por mi discurso, he hablado demasiado. Sin embargo, ¿cómo puedo resistir el impulso de un tema tan fértil y agradable? Estas cosas hermosas me han cautivado. Ahora, resumámoslos para mayor claridad:

La lectura es el fundamento. Proporciona el material y te lleva a la meditación.

La meditación es la búsqueda cuidadosa de lo que se debe desear. Cava profundo y revela el tesoro esperado, pero es incapaz de apoderarse de él.

La oración, dirigida con todas sus fuerzas hacia el Señor, pide el tesoro deseable de la contemplación.

La contemplación, finalmente, viene a recompensar el trabajo de sus tres hermanas y embriaga con el rocío celestial el alma sedienta de Dios.

La lectura es, pues, un ejercicio externo. Es la etapa del principiante.

La meditación es un acto interior de la mente. Es la etapa de los que progresan.

La oración es la acción de un alma llena de deseo. Esta es la etapa de aquellos que anhelan a Dios.

La contemplación está más allá de todo sentimiento y conocimiento. Es el escenario de los bienaventurados.

La lectura, la meditación, la oración y la contemplación se sostienen mutuamente

La lectura, la meditación, la oración y la contemplación están tan estrechamente vinculadas entre sí y se ayudan mutuamente cuando es necesario, que las primeras son inútiles sin la segunda y nunca se experimenta la segunda, o sólo muy excepcionalmente, sin pasar por la primera. ¿De qué sirve dedicar el tiempo a leer la vida y los escritos de los santos si, al meditar y reflexionar, no extraemos su jugo y lo hacemos nuestro dejándolo descender a las profundidades del corazón? Nuestra lectura será inútil, si no comparamos atentamente nuestra vida con la de los santos y nos dejemos llevar por el interés de la lectura más que por el deseo de imitar su ejemplo.

Por otro lado, ¿cómo mantenerse en el recto camino y evitar errores o puerilidad? ¿Cómo podemos mantenernos dentro de los límites establecidos por nuestros Padres sin una lectura seria o una docta educación? Ya que, al final, entendemos la lectura como instrucción. ¿No suele hablar la gente sobre «el libro que leo", aunque a veces recibe instrucción de un maestro?

Asimismo, la meditación sobre nuestros deberes será vana, a menos que sea completada y fortalecida por la oración que obtenga la gracia para cumplir con este deber, porque *cada don exquisito, todo don perfecto desciende del Padre de las luces* (*Santiago* 1,17), sin el cual no podemos hacer nada. Él obra en nosotros, pero no del todo sin nosotros, porque, dice el Apóstol (*1 Corintios* 3,9): *Somos colaboradores de Dios*. Él se muestra condescendiente con nosotros como ayudantes de sus obras, y cuando llama a la puerta, nos pide que abramos el secreto de nuestro deseo y consentimiento.

El Salvador pidió el consentimiento de la mujer samaritana cuando dijo: *Llama a tu esposo* (*Juan* 4,16), es decir: aquí está mi gracia; usted, haga uso de su libre albedrío. Él la inspiró a orar diciendo: *Si conocieras el don de Dios y quién es el que te dice, dame de beber, ciertamente le pedirías el agua viva* (*Juan* 4,10s). Esa mujer, enseñada por la meditación, se dice a sí misma en su corazón: «esta agua me vendría bien»; y, inflamada por un deseo ardiente, comenzó a orar: *Señor, dame esa agua, para que no tenga sed ni venga acá a sacarla a este pozo* (*Juan* 4,15). La palabra de Dios que escuchó invitó a su corazón a meditar y orar. ¿Cómo la habrían llevado a orar si la meditación no hubiera encendido su deseo?

Por otro lado, ¿de qué habría servido meditar sobre los bienes espirituales, si no los hubiera podido obtener a través de la oración? Entonces, ¿qué es la meditación fructífera? Se desarrolla en una oración ferviente que obtiene, casi generalmente, una contemplación muy suave. Por tanto, sin meditación la lectura es estéril; sin leer, la meditación está llena de errores; sin meditación, la oración es tibia; sin oración, la meditación es infructuosa y vana. La oración y la devoción juntas obtienen la contemplación. Al contrario, que alguien llegara a la contemplación sin oración sería muy excepcional y milagroso. El Señor, cuyo poder es infinito y cuya misericordia marca todas sus obras, bien puede convertir piedras en hijos de Abraham, obligando a los duros de corazón y rebeldes a querer el bien; prodiga su gracia, y toma al toro por los cuernos –como se suele decir–, cuando repentina e inesperadamente entra en el alma; él es el Amo soberano. Esto es lo que le hizo a Paul y a algunas otros elegidos. Sin embargo, no debemos esperar tales milagros y poner a prueba a Dios. Hagamos lo que se nos pide: leer, meditar en la ley divina y pedirle al Señor que mire nuestra gran miseria y sostiene nuestra debilidad. *Pedid y se os dará*, es lo que él mismo dice, *buscad y encontraréis; llamad y se os abrirá*. De hecho, en este mundo, *el Reino de los Cielos sufre violencia, y los violentos lo arrebatan* (*Mateo* 7,7; 11,12).

¡Bienaventurado el que, desprendido de todas las criaturas, se ejercita constantemente subiendo los cuatro escalones! ¡Feliz el hombre que vende todo para comprar el campo donde se encuentra el tesoro de la contemplación, tan deseable, y saborea la dulzura del Señor!

Aplicado en el primer grado, cauteloso en el segundo, fuerte en el tercero, gozoso, al fin, sube de una virtud a otra en su corazón por los escalones que conducen a la visión del Señor en Sion. Bienaventurados los que finalmente pueden detenerse en la cima, aunque sea por un momento, y decir: «Estoy disfrutando de la gracia del Señor; aquí, con Pedro y Juan en la montaña, contemplo su gloria; con Jacob, comparto la caricia de Rachel». Sin embargo, que este hombre feliz tenga cuidado de no elegir – ¡ay! – la contemplación celestial en la oscuridad del abismo, la visión divina en medio de las vanidades mundanas y las fantasías impuras de la carne. La pobre alma humano es débil; no puede soportar por mucho tiempo el deslumbrante esplendor de la verdad. Por lo tanto, debe descender con cuidado uno o dos grados y luego relajarse en uno u otro, como quiera o según la gracia que tenga, permaneciendo siempre lo más cerca posible de Dios.

¡Oh, qué triste es la condición de la debilidad humana! Aquí, la razón y la Escritura coinciden en decirnos que la perfección se alcanza a través de estos cuatro niveles y escalarlos es el ejercicio que debe hacer el hombre espiritual. Pero ¿quién sigue este camino? ¿Quién es él para que lo alabemos? Muchos tienen ambiciones, pero pocos llegan hasta el final. ¡Que Dios nos conceda estar entre estos pocos!

Cómo pierde el alma la gracia de la contemplación

Cuatro obstáculos pueden impedirnos subir estos escalones:

la necesidad ineludible
la utilidad de una buena obra
la debilidad humana y
la vanidad mundana.

El primero es excusable, el segundo aceptable, el tercero lamentable y el cuarto culpable.

De hecho, para el hombre que abandona su santa resolución y se echa a correr tras la vanidad mundana, sería mejor no haber conocido nunca la gloria de Dios que rechazarla después de haberla conocido. ¿Cómo se podía excusar una conducta tan mala? A este infiel, el Señor le reprocha: *¿Qué más podría haber hecho por ti?* (*Isaías* 5,4). Tú no eras nada y yo te di el ser; eras pecador y esclavizado por el diablo, y yo te redimí; estabas vagando por el mundo con los impíos, y con amor te recogí, te di mi gracia y establecí mi presencia en ti. Puse mi morada en tu corazón, y has despreciado mi invitación, mi amor, mi objetivo, y has hecho todos tus planes lejos, para correr tras tus deseos.

¡Oh, Dios, buen, dulce y bueno, tierno amigo y sabio consejero, gran ayuda! ¡Necio e imprudente es el hombre que te rechaza y expulsa de su corazón a un huésped tan humilde y compasivo! Intercambio infeliz y condenable: expulsa a su Creador para acoger pensamientos impuros y perversos; abre el querido retiro cerca del Espíritu Santo, recientemente perfumado con alegrías celestiales, a pensamientos bajos y pecaminosos; profana con deseos adúlteros lo que queda de la visita del Esposo. ¡Oh espantosa impiedad! Aquellas orejas, que han escuchado las conversaciones que el hombre no puede repetir, ahora están llenos de mentiras y calumnias; los ojos limpiados por las santas lágrimas ahora se deleitan en la vanidad; esos labios, que acaban de dejar de cantar el divino epitalamio y los cánticos ardientes de amor que unían al Esposo y la Esposa en el sótano místico, ahora hablan vanidad, engaño y calumnia. ¡Señor, líbranos de tales caídas! Sin embargo, si la debilidad humana te hizo caer desgraciadamente, alma frágil, no te desesperes. No, nunca te desesperes, sino corre al noble médico que *levanta del polvo al desvalido y al pobre del estiércol* (*Salmo* 112,7). No quiere la muerte del pecador (cf. Ezequiel 18,23). Él te cuidará y te curará.

Conclusión

Tengo que cerrar mi carta. Ruego al Señor que debilite hoy y quite mañana todo lo que obstruye la contemplación del alma. Que Él nos lleve, de virtud en virtud, hasta la cima de la escalera misteriosa, hacia la visión de Dios en Sion. Allí, sus elegidos recibirán esta divina contemplación, no gota a gota o intermitentemente; al contrario, siempre serán inundados por la corriente de la alegría, poseyendo para siempre la dicha que nadie puede quitarles, la paz inmutable, ¡Paz en Él!

Oh Gervius, hermano mío, cuando por la gracia del Señor hayas alcanzado la cima de esta misteriosa escalera, acuérdate de mí y, en tu felicidad, reza por mí.

De esta manera, un siervo atrae a otro hacia sí, y el que escucha dice: *¡Ven!*

Made in the USA
Las Vegas, NV
16 December 2024